D1241147

Schwaben

Sehenswertes, Dialekt und Rezepte

tosa

Inhalt

Vorwort

Schwaben ist eine Region voller Geschichten und Geschichte.
Es ist der Standort von vielen bedeutenden historischen Gebäu-
den, wie z. B. die Burg Hohenzollern, das Schloss Lichtenstein
oder der Hölderlinturm in Tübingen. Zahlreiche wichtige Persönlichkeiten stehen mit Schwaben in Verbindung, beispielsweise
Friedrich Schiller, Gottlieb Daimler oder Eduard Mörike. Kurzum:
Auf einer Reise durch Schwaben lässt sich viel entdecken, erfahren
und erleben. Besondere Highlights und Sehenswürdigkeiten haben
wir im vorliegenden Buch für Sie zusammengestellt und mit inte-
ressanten Informationen versehen. Manches ist Ihnen vielleicht
schon bekannt, vieles aber auch neu.

Nicht zu vergessen sind die besonderen Genüsse, die die schwäbische Küche dem Besucher bietet. Entdecken Sie die regionalen Speisen wie Maultaschen, Käsespätzle und Ofenschlupfer. Mit einer Vielfalt an Rezepten wird Ihr kleiner Ausflug oder Ihre Reise durch Schwaben mit allen Sinnen ein Genuss.

Und damit Sie die Schwaben mit ihrem klangvollen Dialekt auch verstehen, machen wir Sie mit einigen grundlegenden schwäbischen Begriffen vertraut.

Viel Freude beim Blättern und Schauen, einen angenehmen Aufenthalt und einen guten Appetit!

Maultaschen in der Brühe

Für 4 Personen

Für den Nudelteig:
- **250 g** Weizenmehl
- **2** Eier
- **1 TL** Salz
- **1 EL** Sonnenblumenöl

Für die Füllung:
- **1** altbackenes Brötchen
- **60 ml** lauwarme Milch
- **1** Zwiebel
- **1 EL** Butter

- **300 g** frischer Blattspinat
- **250 g** Bratwurstbrät
- **1** Ei
- Muskat
- schwarzer Pfeffer, frisch gemahlen
- Salz

Außerdem:
- **1 l** Fleischbrühe
- **2 EL** Schnittlauchröllchen

Maultaschen in der Brühe

Aus den Zutaten für den Nudelteig einen festen, geschmeidigen Teig herstellen und zu einer Kugel formen. In Frischhaltefolie gewickelt ca. 20 Minuten ruhen lassen. Für die Füllung das Brötchen in der Milch einweichen. Die Zwiebel abziehen, hacken und in der Butter glasig anschwitzen. Den Spinat kurz blanchieren, abschrecken, ausdrücken und hacken. Mit dem ausgedrückten Brötchen, der Zwiebel, dem Brät und dem Ei in einer Schüssel vermischen. Mit Muskat, Pfeffer und Salz abschmecken. Den Nudelteig dünn ausrollen, 8 Rechtecke (10 × 20 cm) ausschneiden, mit der Brätmasse bestreichen und alle 5 cm zusammenklappen (4-mal). Die Teigränder mit Eiweiß bestreichen und festdrücken. Die Maultaschen in kochendes Salzwasser geben und ca. 8 Minuten ziehen lassen. Die Brühe aufkochen und salzen. Die Maultaschen mit Brühe und Schnittlauchröllchen anrichten.

Altes Schloss in Stuttgart

Das Alte Schloss ist Stuttgarts ältestes Gebäude. Es wurde mehrmals zerstört und wieder aufgebaut. Teile seiner Grundmauern gehören zu einer Wasserburg aus dem 10. Jahrhundert. Seit 1948 ist hier das Landesmuseum Württemberg untergebracht.

Der Kocher
bei Schwäbisch Hall

Der Kocher ist für Kanufahrer besonders interessant, da sein gewundener Flusslauf zum großen Teil natürlich geblieben ist. Auf die vielen Windungen des Flusses nimmt auch der Ursprung seines Namens Bezug: Die indogermanische Wortwurzel *keu-k* bedeutet „sich krümmen" oder „biegen".

Universitätsstadt Tübingen

Während der Studiensemester wird das Leben in der Stadt von den rund 25 000 Studenten geprägt. Dementsprechend beträgt der Altersdurchschnitt nur 39 Jahre, der niedrigste Wert in Deutschland.

Freilichtmuseum Beuren

Das Freilichtmuseum Beuren besteht seit dem Jahr 1995. Es präsentiert alte Gebäude aus dem Bereich des Mittleren Neckar sowie der Schwäbischen Alb, die ins Freilichtmuseum versetzt wurden. Die Gebäude wurden an ihrem Entstehungsort nach genauer Dokumentation abgebaut und im Freilichtmuseum originalgetreu wieder aufgebaut.

Brätknödelsuppe

Für 4 Personen: • **250 g** Fleischbrät • **125 ml** Milch • **1 Ei** • **1 TL** Weizenmehl
• **2 Msp.** Muskatnuss • **2 Stängel** Petersilie, gewiegt • **2–3 EL** Semmelbrösel
• **1 l** Fleischbrühe • Salz und Pfeffer

Das Fleischbrät mit der Milch, dem Ei und dem Mehl vermischen.
Mit Muskatnuss sowie Salz und Pfeffer würzen. Die Petersilie und die
Semmelbrösel dazugeben und alles gut verkneten. Die Fleischbrühe
erhitzen. Mit einem nassen Teelöffel kleine Klößchen abstechen und
10 Minuten in der heißen Brühe ziehen lassen.

Hermann Hesse

Mit rund 150 Millionen verkauften Büchern ist Hermann
Hesse (1877–1962) der erfolgreichste Schriftsteller des
20. Jahrhunderts. Er wurde in Calw geboren und machte
in Tübingen eine Buchhändlerlehre. Zu seinen bekanntesten Werken gehört *Der Steppenwolf*, dessen Hauptfigur
Hesses eigene seelische Zerrissenheit widerspiegelt.

Sternwarte Stuttgart

Auf Betreiben des Vereins Schwäbische Sternwarte wurde die Sternwarte Stuttgart auf der Uhlandshöhe erbaut. Auch der Turm von 1921 mit den wichtigen Beobachtungsinstrumenten entstand durch Finanzierung aus Spenden. Zur Spendenbeschaffung hielt auch Albert Einstein in Stuttgart Gastvorträge.

Dialekt

Leisa = Linsen

Schloss Sigmaringen

Hoch über dem Fluss thront Schloss Sigmaringen, Wahrzeichen der Kreisstadt an der Donau. Seit 1535 ist das Schloss im Besitz der Fürsten von Hohenzollern, deren kostbare Sammlungen an Waffen, Gemälden, Gobelins, Porzellan und Uhren hier besichtigt werden können. Wer Genaueres über die Hohenzollern herausfinden möchte, kann in der Hofbibliothek stöbern, die mit 200 000 Titeln eine der größten deutschen Privatbibliotheken ist.

Limesmuseum in Aalen

Süddeutschlands größtes Museum zur römischen Geschichte befindet sich auf dem Gelände eines ehemaligen römischen Reiterkastells. Hier erhalten die Besucher einen lebendigen Einblick in die Zeit der römischen Belagerung Süddeutschlands und in die Alltagskultur der römischen Soldaten.

Weißer Turm in Biberach an der Riß

An einer strategisch wichtigen Stelle der historischen Stadt-
befestigung von Biberach steht der Weiße Turm. Anfang
des 19. Jahrhunderts wurden eigens für die Mitglieder einer
gefährlichen Gaunerbande Gefängniszellen eingebaut.
Heute steht das Bauwerk den Biberachern Pfadfindern zur
Verfügung.

Schaffe, schaffe, Häusle baue…

Wer kennt sie nicht, diese Liedzeile, die deutschlandweit die Arbeitsmentalität der Schwaben charakterisiert?

Flädlessuppe

Für 4 Personen

Für die Fleischbrühe:

- **500 g** Suppenfleisch
- **500 g** Suppenknochen
- **1 Bund** Suppengemüse
- **1** Zwiebel
- **2 Msp.** Muskatnuss
- **½ Bund** Schnittlauch, geschnitten
- Salz

Für die Flädle:

- **200 g** Weizenmehl
- **240 ml** lauwarme Milch
- **3** Eier
- Salz

Außerdem:

- Pflanzenfett oder Schmalz

Flädlessuppe

Fleisch und Knochen in einen Topf geben und mit Wasser bedecken. Zum Kochen bringen und den Sud danach abgießen. Die Knochen etwas abspülen und zusammen mit dem Fleisch erneut in 1,5 – 2 Liter Wasser erhitzen. Vom gewaschenen, geputzten und in Stücke geschnittenen Suppengemüse Karotten und Sellerie dazugeben und ca. 2,5 Stunden köcheln lassen. Die Zwiebel abziehen, in der Mitte durchschneiden und auf der Schnittfläche etwas anrösten. Lauch und Zwiebel erst nach 2 Stunden hinzufügen. Mit Muskatnuss und Salz abschmecken.

Für die Flädle das Mehl in die Milch rühren und Eier sowie ½ TL Salz zufügen. Alles zu einem klumpenfreien Teig verrühren. In einer Pfanne etwas Fett erhitzen und den Teig goldgelb zu dünnen Pfannkuchen ausbacken. Die Pfannkuchen noch heiß aufrollen und abkühlen lassen. Zum Servieren in Röllchen schneiden, diese auf Tellern anrichten, mit der abgesiebten heißen Fleischbrühe begießen und mit Schnittlauch bestreuen.

Burg Teck

Die Burg Teck ist eines der beliebtesten Wanderziele im Landkreis Esslingen. Erste Belege für das Bestehen einer Burg auf dem Teckberg (um 1152) gehen bis in die Regierungszeit von Friedrich Barbarossa zurück. Heute beherbergt die Burg ein Wanderheim des Schwäbischen Albvereins.

Dialekt

Babbedeggel = Führerschein

Schwäbische Seelen

Für 12 Stück: • **1 kg** Weizenmehl • **1 Würfel** Frischhefe • **1 EL** Kümmel
• **1 EL** grobes Salz • Salz

Das Mehl in eine Schüssel sieben und in die Mitte eine Mulde drücken.
Die Hefe hineinbröckeln und etwas lauwarmes Wasser dazugeben. Mit
Mehl bestreuen und den Vorteig abgedeckt ca. 20 Minuten gehen lassen.
600 ml lauwarmes Wasser und 3 TL Salz dazugeben und alles gut verkneten. Abgedeckt an einem warmen Ort ca. 60 Minuten gehen lassen. Den
Teig auf einer bemehlten Arbeitsfläche nochmals durchkneten und in
12 längliche Stücke teilen. Ein Backblech mit Backpapier auslegen. Die
Teigstücke drauflegen und abgedeckt weitere 10 Minuten gehen lassen.
Den Backofen auf 230 °C vorheizen. Die Teigstücke mit Wasser bestreichen und mit Kümmel und grobem Salz bestreuen. Im Backofen ca.
20 Minuten backen.

Residenzschloss in Ludwigsburg

Das Residenzschloss in Ludwigsburg gehört zu den größten barocken Schlossanlagen Deutschlands. Der Erbauer des Schlosses, Herzog Eberhard Ludwig, war auch der Namensgeber der Stadt Ludwigsburg. Er residierte hier mit seiner Mätresse, während seine Frau im Alten Schloss in Stuttgart lebte.

St. Martin
in Biberach an der Riß

Die gotische Basilika in Biberach wurde
im 13. Jahrhundert erbaut und ist eines der
Wahrzeichen der Stadt. Im Inneren wurde
die Kirche von 1746 – 1748 dem Barockstil
angepasst. Bei einem Rundgang durch die
Kirche können die wunderschönen Decken-
fresken sowie die beeindruckenden Rund-
bogenfenster bewundert werden.

Botanischer Garten in Tübingen

Der Botanische Garten in Tübingen zeigt die Vielfalt der Pflanzenwelt, von den Alpen und den Prärien Nordamerikas bis hin zum tropischen Regenwald. Die themenorientierten Freiflächen und Schauhäuser können das ganze Jahr über besucht werden.

Donauwehr in Riedlingen

Das Streichwehr in Riedlingen an der Donau verläuft parallel zur Fließrichtung des Flusses und dient dem Abfließen von überschüssigem Wasser. Die schöne Stadt an der Deutschen Fachwerkstraße wird immer wieder vom Hochwasser bedroht.

Schwäbische Lumpensuppe

Für 4 Personen: • **400 g** Lyoner • **150 g** Emmentaler • **1 EL** Essig • **2–3 EL** Öl • Pfeffer, frisch gemahlen • **1** Zwiebel • **einige Blätter** Eisbergsalat • **1** Tomate • Petersilie • **½ Bund** Schnittlauch • Salz

Wurst und Käse in feine Streifen schneiden und in eine Schüssel geben. Essig, Öl, Salz und Pfeffer zu einer Salatsoße verrühren und hinzufügen. Alles gut vermischen und ca. 30 Minuten durchziehen lassen. Die abgezogene Zwiebel in feine Ringe schneiden. Die Teller mit gewaschenen und getrockneten Salatblättern auslegen. Den Wurstsalat darauf anrichten, mit Tomatenschnitzen und Petersilie garnieren. Mit Zwiebelringen belegen und mit geschnittenem Schnittlauch bestreuen.

Sprichwort

„Mit 40 wird der Schwabe gescheit!"

Schloss Lichtenstein auf der Schwäbischen Alb

Schloss Lichtenstein gilt als „Märchenschloss Württembergs". Das heutige Gebäude wurde erst im 19. Jahrhundert erbaut. Es steht an der Stelle der mittelalterlichen Burg Lichtenstein, die damals als eine der wehrhaftesten Burgen der Region galt.

Kloster Wiblingen

Kloster Wiblingen bei Ulm wurde 1093 als Benediktiner-abtei gegründet. Nach Ende des Dreißigjährigen Krieges entstand ein Neubau, der sich in der Planung an der ba-rocken Klosteranlage Escorial in Spanien orientierte. Ein besonderes Highlight ist der Bibliothekssaal, der aufgrund seiner Größe und seiner prachtvollen Ausstattung einem Festsaal gleichkommt.

Käsespätzle

Für 4 Personen: • **400 g** Weizenmehl • **4** Eier • **2 Msp.** Muskatnuss • **1 EL** Pflanzenöl
• **2** Zwiebeln • **50 g** Butter • **300 g** Emmentaler, gerieben • Salz

Das Mehl in eine Schüssel sieben. Die Eier, 1 TL Salz, Muskatnuss und 125 ml Wasser hinzufügen und mit den Knethaken des Handrührgerätes zu einem glatten Teig verarbeiten. In einem Topf ca. 2 – 3 l Wasser zum Kochen bringen und 1 TL Salz sowie das Öl dazugeben. Den Spätzleteig portionsweise durch eine Spätzlepresse ins kochende Wasser drücken und garen, bis sie an der Wasseroberfläche schwimmen. Mit einem Schaumlöffel herausheben und abtropfen lassen. Die abgezogenen Zwiebeln in feine Ringe schneiden. Die Butter in einer Pfanne schmelzen und die Zwiebeln darin glasig dünsten. Den Backofen auf 180 °C vorheizen. Die Spätzle in eine Auflaufform geben und mit 150 g Käse sowie den Zwiebelringen vermischen. Den restlichen Käse darüberstreuen und alles im Backofen ca. 8 Minuten überbacken.

Goldstadt Pforzheim

Mit der Gründung einer Taschenuhrenfabrik legte Markgraf Karl Friedrich von Baden den Grundstein für die Schmuckindustrie der Stadt. Den Beinamen „Goldstadt" trägt Pforzheim zu Recht: Hier werden 75 % der deutschen Schmuckwaren produziert.

Schwäbisch Gmünd

Bis ins 19. Jahrhundert war Schwäbisch Gmünd eine Stadt der Klöster und Wallfahrtsstätten. Man nannte die streng katholische Stadt auch „Schwäbisches Nazareth". Der kosmopolitische Schauspieler Peter Ustinov (1921–2004) wurde hier getauft – allerdings evangelisch!

Dialekt

Granadadaggl = Granatendackel
(dummer Mensch)
Steigerung: Allmachtsgranadadaggl

Schäufele mit Senfsoße

Für 4 Personen: • **2 ½ kg** Schweineschulter • **2–3 EL** Pflanzenfett • **3** Zwiebeln • **1 Bund** Suppengemüse • **2** Lorbeerblätter • **2** Gewürznelken • **3–4** Pimentkörner • **5** Pfefferkörner, schwarz • Saft von **½** Zitrone • **100 g** Senf • **125 ml** süße Sahne

Die Schweineschulter unter fließend kaltem Wasser abwaschen, trocken tupfen und in einem großen Topf im Fett von allen Seiten knusprig anbraten. Die abgezogenen Zwiebeln sowie das gewaschene und geputzte Suppengemüse hinzufügen. Alles kurz mitbraten. Lorbeer, Nelken, Piment, Pfefferkörner und Zitronensaft dazugeben. Mit Wasser bedecken, zum Kochen bringen und ca. 90 Minuten garen. Das Fleisch herausnehmen, vom Knochen lösen und in Scheiben schneiden. Den Senf mit der Sahne und etwas Fleischsud verrühren. Das Fleisch mit der Soße auf Tellern anrichten. Dazu passen Salzkartoffeln und Gurkengemüse.

Uracher Wasserfall

Am Uracher Wasserfall stürzt der Brühlbach in die Tiefe. Je nach Wetterlage ergießen sich hier zwischen 70 und 420 Litern Wasser pro Sekunde aus 37 Meter Höhe hinab. Besonders im Winter bei frostigen Temperaturen bietet das vereiste Wasser ein sehenswertes Naturschauspiel.

Jürgen Klinsmann

Der 1964 in Göppingen geborene Fußballer Jürgen Klins-
mann wurde zweimal zu Deutschlands Fußballer des
Jahres gewählt und genießt internationales Ansehen.
Besonders beliebt war er während seiner Spielzeit bei
Inter Mailand beim italienischen Publikum – wegen
seines freundlichen Auftretens und seinen italienischen
Sprachkenntnissen.

Carl-Zeiss-Planetarium
in Stuttgart

Die technische Ausrüstung des Planetariums, eines der größten in Europa, geht auf eine Schenkung durch die Carl-Zeiss-Stiftung zurück. Die hier angebotenen Vorträge erläutern die Entstehung des Kosmos und vermitteln interessante Informationen zu fernen Galaxien und unserem eigenen Sonnensystem.

Schloss Monrepos
in Ludwigsburg

Zu Zeiten von Herzog Carl Eugen von Württemberg (1728 – 1793), dem Erbauer des Seeschlosses Monrepos, wurde der Eglosheimer See von venezianischen Gondeln befahren, die auch von echten Gondolieri gelenkt wurden.

atzagschroi

Für 4 Personen:

- **600 g** Rinderbrust
- **2** Zwiebeln
- **1 Bund** Suppengemüse
- **½ Bund** Schnittlauch
- **½ Bund** Petersilie
- **1 EL** Pflanzenfett
- **4** Eier
- Salz und Pfeffer

Katzagschroi

Das Fleisch unter fließend kaltem Wasser abwaschen und in einen großen Topf legen. Die Zwiebeln abziehen. 1 Zwiebel mit dem gewaschenen und geputzten Suppengemüse in Stücke schneiden und dazugeben. Mit kaltem Wasser bedecken, zum Kochen bringen und bei reduzierter Hitze ca. 2 Stunden kochen lassen. Das Fleisch herausnehmen, abtropfen und abkühlen lassen. Das erkaltete Fleisch in dünne Scheiben schneiden. Schnittlauch und Petersilie waschen, trocknen und fein wiegen. Die zweite Zwiebel würfeln. Das Fett in einer Pfanne erhitzen und die Zwiebelwürfel darin anbraten. Das Fleisch dazugeben und kurz mitbraten. Die Eier in einer Schüssel verquirlen und mit Pfeffer und Salz würzen. Die Eiermasse über Fleisch und Zwiebeln in der Pfanne geben und bei geringer Hitzezufuhr stocken lassen. Auf Tellern anrichten und mit den Kräutern bestreut servieren. Dazu passt Kartoffelsalat.

Ulmer Münster

Mit 161,53 Metern ist der Kirchturm des Ulmer Münsters der höchste Kirchturm der Welt. Seine stilisierte Silhouette wurde zum Markenzeichen des Ulmer Fahrzeugherstellers Magirus.

Blautopf in Blaubeuren

Um den Blautopf, den Quelltopf des Flusses Blau, ranken sich zahlreiche Sagen und Legenden. Eine der bekanntesten stammt von Eduard Mörike. Darin wird von der *Schönen Lau* berichtet, einer Wasserfrau, die nicht lachen und keine lebenden Kinder gebären konnte. Deshalb hatte sie ihr Mann, ein Donaunix vom Schwarzen Meer, in den Blautopf verbannt. Mit Hilfe von Frau Betha, der Wirtin des Nonnenhofs, fand sie ihr Lachen wieder und konnte nach Hause zurückkehren.

Kunsthalle Weishaupt in Ulm

Hier werden bedeutende Werke der modernen Kunst aus der zweiten Hälfte des 20. Jahrhunderts, z. B. von Mark Rothko, Andy Warhol, Roy Lichtenstein, Keith Haring oder Erich Hauser gezeigt. Der Unternehmer und leidenschaftliche Kunstsammler Siegfried Weishaupt ließ das Gebäude erbauen, um seine Sammlung der Öffentlichkeit zugänglich zu machen.

Neckar

Obwohl der Name *Neckar*, abgeleitet aus dem Keltischen „wildes Wasser" oder „wilder Geselle" bedeutet, fließt er an manchen Stellen sehr ruhig dahin. So z. B. auch bei Tübingen, das im schönen Neckartal liegt.

Dialekt

Heidenei, Heiligs Blechle,
Heida Bimm Bamm = „Ach, du meine Güte!"
(Ausruf der Verwunderung)

Schwäbischer Rostbraten

Für 4 Personen: • **4 Scheiben** Roastbeef **à 200 g** • **40 g** Butterschmalz • **2** Zwiebeln • **1 EL** Weizenmehl • schwarzer Pfeffer, frisch gemahlen • Salz

Das Fleisch flach klopfen und am Rand etwas einschneiden, um ein Aufwölben beim Braten zu verhindern. Das Butterschmalz in einer Pfanne erhitzen und das Fleisch von beiden Seiten je 3 Minuten kräftig anbraten. Aus der Pfanne nehmen, mit Salz und Pfeffer würzen und warm stellen. Die Zwiebeln abziehen, in Scheiben schneiden und in der Fleischpfanne braun rösten. Auf dem Fleisch verteilen. Das Mehl in die Pfanne streuen, etwas bräunen und mit 250 ml Wasser ablöschen. Die Soße mit Pfeffer und Salz abschmecken. Das Fleisch mit der Soße auf Tellern anrichten. Dazu passen Spätzle und Salat oder Sauerkraut.

Johanniskirche
in Schwäbisch Gmünd

Die im spätromanischen Stil erbaute Kirche ist Johannes
dem Täufer geweiht. Ihr 45 Meter hoher Turm ist auf mo-
rastigem Grund gebaut und hat sich über die Jahrhunderte
ca. 1 Meter geneigt, sodass auch Schwäbisch Gmünd wie
Pisa einen schiefen Turm hat.

Subalpine Flora

Die subalpine Flora der Schwäbischen
Alb ist einzigartig und wunderschön.
Im Frühling kann man dort die selten
gewordene Küchenschelle bewundern.

Die weltweite Nachfrage nach Kraftfahrzeugen wird eine Million nicht überschreiten – allein schon aus Mangel an verfügbaren Chauffeuren.

Gottlieb Daimler (1834 – 1900),
deutscher Ingenieur, Konstrukteur
und Industrieller

Auf de schwäbsche Eisenbahne

1. Auf de schwäbsche Eisenbahne gibt's gar viele
   Haltstatione,
   Schtuegert, Ulm und Biberach, Meckebeure,
   Durlesbach.
   Rulla, rulla, rullala, rulla, rulla, rullala,
   Schtuegert, Ulm und Biberach, Meckebeure,
   Durlesbach.

2. Auf de schwäbsche Eisenbahne gibt's gar viele
   Restauratione,
   wo ma esse, trinke ka, alles was de Mage ma.
   Rulla, rulla, rullala, rulla, rulla, rullala,
   wo ma esse, trinke ka, alles was de Mage ma. ...

Gefüllte Mistkratzerle

Für 4 Personen:

- **2** kleine Brathähnchen
- **1** Ei
- **150 g** Magerquark
- **150 g** saure Sahne
- **150 g** Toastbrot
- **4–5 EL** Petersilie und Schnittlauch, gehackt
- **1 Bund** Suppengemüse
- **1** Zwiebel
- **5** Pfefferkörner
- **250 ml** Weißwein, trocken
- Salz und Pfeffer

Gefüllte Mistkratzerle

Die gewaschenen Hähnchen salzen und pfeffern. Das Ei trennen. Quark und Eigelb mit 120 g saurer Sahne verrühren. Das Eiweiß steif schlagen, das Brot würfeln und beides unter die Quarkmasse heben. Kräuter, Salz und Pfeffer hinzufügen und alles vermischen. Den Backofen auf 200 °C vorheizen. Die Hähnchen mit der Masse füllen und gegebenenfalls mit Küchengarn zusammennähen. Mit dem Suppengemüse, der abgezogenen Zwiebel und den Pfefferkörnern in einer Bratform im Backofen 1 Stunde braten, dabei mit Bratenfett bestreichen. Zum Schluss mit Weißwein und 3 EL Wasser begießen und nochmals 5 Minuten garen. Die Soße schließlich mit Salz und Pfeffer abschmecken und mit der restlichen sauren Sahne vermischen. Die Hähnchen mit der Soße anrichten.

Schwäbischer Gruß

Unter dem Begriff „Schwäbischer Gruß" versteht man den im Schwäbischen weit verbreiteten „Legg me am Arsch". Johann Wolfgang von Goethe setzte diesem Ausdruck im *Götz von Berlichingen* mit dem „Götz-Zitat" ein literarisches Denkmal: „Er aber, sag's ihm, er kann mich im Arsche lecken!"

Astronomische Uhr in Tübingen

Johannes Stöffler, ein Tübinger Mathematiker, Physiker und Astronom, konstruierte im Jahr 1511 zwei der Zifferblätter der Astronomischen Uhr am Tübinger Rathaus. Sie zeigt die Mondphasen, den Stand der Sonne im Tierkreis sowie Sonnen- und Mondfinsternisse.

Opernhaus in Stuttgart

Das Doppeltheater mit Oper- und Schauspielhaus wurde von 1909 bis 1912 nach den Plänen des Theaterbauarchitekten Max Littman gebaut. Ursprünglich ein königliches Hoftheater, ist das Staatstheater in Stuttgart mit den Sparten Oper, Ballett und Schauspiel heute das größte Dreispartentheater der Welt.

Schloss Solitude in Stuttgart

Der berühmte Venezianer Giacomo Casanova (1725 – 1798) besuchte einst das Schloss Solitude. Er war beeindruckt von der prunkvollen Hofhaltung und den pompösen Theatervorstellungen.

Schwerer Kopfschmuck

Der Bollenhut ist wohl das bekannteste Markenzeichen der Schwarzwälder Tracht. Verheiratete
Frauen tragen den Bollenhut mit schwarzen
Bollen, unverheiratete mit roten. Der Hut kann
bis zu 2 Kilo wiegen.

Festung Hohenasperg

Vom späten Mittelalter bis ins 20. Jahrhundert diente die Festung Hohenasperg als Gefängnis. Auch politisch aktive Intellektuelle wurden hier inhaftiert, weshalb die Festung im Volksmund auch „Hausberg der schwäbischen Intelligenz" genannt wurde.

Harald Schmidt

Der Ulmer Harald Schmidt (geb. 1957) wurde vor allem bekannt durch die Sendungen „Pssst…" und „Schmidt-einander", die er zusammen mit Herbert Feuerstein moderierte. Wegen seines oftmals respektlosen und zynischen Humors in der „Harald Schmidt Show" erhielt er den Namen *Dirty Harry*.

Dialekt

Preschtling = Erdbeeren

Linsen mit Spätzle und Saitenwürstchen

Für 4 Personen: • **250 g** Linsen • **2** Zwiebeln • **2** Nelken • **2** Lorbeerblätter • **1 l** Fleischbrühe • **2 EL** Pflanzenöl • **40 g** Weizenmehl • **4 EL** Essig • **4 Paar** Saitenwürstchen • **400 g** Spätzle • Salz

Die Linsen über Nacht in Wasser einweichen. 1 Zwiebel abziehen, die Linsen abgießen und mit der Zwiebel und den Gewürzen in der Fleischbrühe garen. Das Öl in einem Topf erhitzen und die zweite abgezogene, gewürfelte Zwiebel darin anbraten. Das Mehl darüberstäuben und alles etwas anbräunen lassen. Mit den Linsen und der Fleischbrühe unter ständigem Rühren ablöschen. Mit Salz und Essig würzen. Die Saitenwürstchen in heißem Wasser erwärmen. Die Spätzle in Salzwasser gar kochen und abgießen. Die Linsen mit den Spätzle und den Saitenwürstchen auf Tellern anrichten.

Knopfmacherfelsen im Naturpark Obere Donau

Der Name des Knopfmacherfelsens geht angeblich auf die Geschichte vom unglücklichen Ende des Knopfmachers Fidelis Martin zurück. Dieser ließ sich bei Anbruch der Nacht von einem Hardtfräulein (eine Waldfrau mit meist feindseligen Absichten) auf den steilen Felsen führen, von dem er zusammen mit seinem Pferd in die Tiefe stürzte. Sein lebloser Körper wurde erst zwei Wochen später entdeckt.

Deutsches Literaturarchiv in Marbach

In Friedrich Schillers Geburtsort Marbach am Neckar wurde am 12. Juli 1955 das Deutsche Literaturarchiv gegründet. Die kostbare Sammlung vermittelt ein ausführliches Bild der deutschen Literatur und des literarischen und kulturellen Lebens von 1750 bis in die Gegenwart.

Schupfnudeln mit Sauerkraut und Speck

Für 4 Personen

Für das Sauerkraut:

- **1** kleine Zwiebel
- **2 EL** Pflanzenöl
- **1 Dose** Sauerkraut (ca. **400 g**)
- **1** Lorbeerblatt
- **3** Wacholderbeeren

Für die Schupfnudeln:

- **500 g** gekochte Kartoffeln (vom Vortag)
- **250 g** Weizenmehl
- **1** Ei
- **1** Zwiebel
- **60 g** Butter
- **100 g** Speck, gewürfelt
- Salz

Schupfnudeln mit Sauerkraut und Speck

Für das Sauerkraut die abgezogene Zwiebel grob würfeln und im Öl anbraten. Das Sauerkraut abgießen und dazugeben. Lorbeerblatt und Wacholderbeeren sowie 200 ml Wasser hinzufügen und alles ca. 1½ Stunden köcheln lassen.

Für die Schupfnudeln die Kartoffeln pellen, zerdrücken und mit Mehl, Ei und ½ TL Salz zu einem glatten Teig verkneten. Eine Arbeitsfläche mit Mehl bestäuben und darauf aus dem Teig kleine Würstchen formen (ca. 6 cm lang), die an den Enden spitz zulaufen. Die Schupfnudeln in kochendes Salzwasser geben. Die Hitze reduzieren, sobald sie oben schwimmen, dann weitere 15 Minuten ziehen lassen. Die Zwiebel in Ringe schneiden und mit dem Speck anbraten.

Die gegarten Schupfnudeln mit dem Schaumlöffel herausheben, gut abtropfen lassen und in der Pfanne kurz mitbraten. Die Schupfnudeln mit dem Sauerkraut auf Tellern anrichten.

Cannstatter Wasen

Ende September bis Anfang Oktober findet im Neckarpark in Stuttgart der Cannstatter Wasen statt. Dieses Volksfest für die ganze Familie wird jährlich von mehreren Millionen Menschen besucht.

Hällisches Landschwein

„Mohrenköpfle" wird die schwäbische Hausschweinrasse im Volksmund auch genannt. Das Schwäbisch-Hällische Landschwein ist eine Kreuzung aus chinesischen Maskenschweinen, die der württembergische König Wilhelm I. 1820 einführte, und einheimischen Rassen.

Krautwickel

Für 4 Personen

- **8–10** große Weißkrautblätter
- **500 ml** Fleischbrühe

Für die Füllung:

- **1** Brötchen
- **1** Zwiebel
- **½ Bund** Petersilie
- **1** Ei

- **1 EL** Weizenmehl
- **200 g** Hackfleisch
- Semmelbrösel nach Bedarf
- **3 EL** Pflanzenöl
- Salz und Pfeffer

Krautwickel

Die Weißkrautblätter in Salzwasser bissfest garen und abtropfen lassen. Das Brötchen in etwas lauwarmem Wasser einweichen. Die Zwiebel abziehen und fein würfeln. Die Petersilie waschen, trocknen und fein hacken. Das Brötchen gut ausdrücken und mit der Zwiebel, der Petersilie, dem Ei und dem Mehl zum Hackfleisch geben. Mit Salz und Pfeffer würzen und alles gut vermischen. Sollte der Hackfleischteig zu weich sein, nach Bedarf noch etwas Semmelbrösel hinzufügen. Jeweils eine passende Menge Fleischteig auf die Weißkrautblätter setzen und diese über die Füllung schlagen. Mit Küchengarn zusammenbinden. In einem großen Topf 3 EL Öl erhitzen und die Krautwickel darin von allen Seiten knusprig anbraten. Mit Fleischbrühe ablöschen und zugedeckt ca. 30 Minuten garen. Dazu passen Salzkartoffeln oder Kartoffelbrei.

Erlebnispark Tripsdrill

Bereits 1929 wurde der Erlebnispark Tripsdrill eröffnet und ist somit der älteste noch bestehende Freizeitpark in Deutschland. In den 1980er-Jahren wurde er zu einem modernen Freizeitpark erweitert und ist mit vielen originellen Attraktionen und einem angeschlossenen Wildparkgelände insbesondere für Kinder ein riesiger Spaß.

Rieder Tor
in Donauwörth

Von den ehemals vier Ausfalltoren der Stadt-
mauer ist heute nur noch das Rieder Tor erhalten. Hier ist das „Haus der Stadtgeschichte"
untergebracht.

Kloster Comburg

Die Grafenfamilie von Rothenburg-Comburg stiftete im Jahr 1078 das Benediktinerkloster Comburg. Der Orden baute die Anlage zur ihrer heutigen Größe aus. Sehenswert sind die romanische Michaelskapelle, die barocke Stiftskirche und der begehbare Wehrgang aus dem 16. Jahrhundert.

Dialekt

Bähmull = Heulsuse

Gaisburger Marsch

Für 4 Personen

- **1 Bund** Suppengrün
- **400 g** mageres Suppenfleisch
- **4** Pfefferkörner
- **1** Lorbeerblatt
- **300 g** Spätzle
- **8** festkochende Kartoffeln
- **2 Msp.** Muskatnuss
- **1** Zwiebel
- **1 EL** Pflanzenöl
- **½ Bund** Schnittlauch
- Salz und Pfeffer

Gaisburger Marsch

Das geputzte und zerkleinerte Suppengrün mit dem Suppenfleisch in einen Topf geben und mit 1 l Wasser bedecken. Pfefferkörner, Lorbeerblatt und Salz hinzufügen und zum Kochen bringen. Bei kleiner Hitze ca. 2 Stunden kochen. Ca. 30 Minuten vor Ende der Garzeit die Spätzle in Salzwasser gar kochen. Die Kartoffeln schälen und würfeln. Das gekochte Fleisch aus der Brühe nehmen und in mundgerechte Stücke schneiden. Die Kartoffelwürfel in die Brühe geben und darin garen. Das Fleisch hinzufügen und alles mit Muskatnuss, Salz und Pfeffer würzen. Die Zwiebel abziehen, in Ringe schneiden und in einer Pfanne mit Öl kräftig anbraten. Den Schnittlauch waschen, trocknen und schneiden. Den Eintopf mit den Spätzle auf Tellern anrichten und mit Schnittlauch und gebratenen Zwiebelringen bestreut servieren.

Aachtopf auf der Schwäbischen Alb

Der Aachtopf ist die größte Karstquelle Deutschlands. Das Wasser stammt zum größten Teil aus der Donau, die zwischen Immendingen und Fridingen versickert und sich durch das poröse Karstgestein einen unterirdischen Abfluss geschaffen hat.

Mathias Richling

Der schwäbische Kabarettist, Autor und Schauspieler Mathias Richling (geb. 1953) wurde vor
allem durch die Satiresendung „Jetzt schlägt's
Richling" bekannt. In seinen Programmen kari-
kiert er mit Vorliebe bekannte Persönlichkeiten,
meistens Politiker.

Die Aussicht von der
Burg Hohenzollern
ist wahrlich eine
weite Reise wert.

Kaiser Wilhelm II.
(1859–1941)

Filderkraut

In der schwäbischen Küche werden viele Gerichte mit Filderkraut zubereitet. Diese Gemüsekohlsorte ist fester als Spitzkohl und hat kräftigere Blätter, die zu Sauerkraut verarbeitet werden.

Spätzle-Akademie der Fessler Mühle

Spätzle sind ein wichtiger Bestandteil der schwäbischen Küchentradition. Deren Pflege und Erhalt hat sich die Spätzle-Akademie in der Fessler Mühle auf die Fahnen geschrieben. Hier werden Seminare und Veranstaltungen angeboten, nicht nur zum virtuosen Umgang mit dem Spätzlebrett, sondern rund um die schwäbische Esskultur.

Stocherkähne auf dem Neckar

Ein lustiges und wildes Spektakel ist das Stocherkahnrennen auf dem Neckar in Tübingen. Das Team, das die Ziellinie als Erstes überquert, gewinnt einen Wanderpokal und ein Fass Bier. Das Verliererteam muss einen halben Liter Lebertran trinken.

Michaelskirche in Schwäbisch Hall

Die erste Kirche am Standort von St. Michael wurde 1156 geweiht. Von diesem romanischen Bau sind nur die unteren Geschosse des Kirchturms erhalten. Die übrigen Gebäudeteile stammen aus spätgotischer Zeit. St. Michael beeindruckt vor allem durch die majestätische Freitreppe und herausragende Kunstwerke aus der Spätgotik, wie z. B. ein niederländischer Passionsaltar oder das Heilige Grab mit seinen eindrucksvollen Trauergestalten.

Zwiebelkuchen mit Speck

Für 4 Personen

Für den Teig:

- **500 g** Weizenmehl
- **1 Würfel** Frischhefe
- **1 Prise** Zucker
- **250 ml** lauwarme Milch
- **1** Ei
- **60 g** weiche Butter
- Salz

Für den Belag:

- **1 kg** Zwiebeln
- **200 g** Speck, gewürfelt
- **2 EL** Pflanzenöl
- **400 g** saure Sahne
- **5** Eier
- schwarzer Pfeffer, frisch gemahlen
- Salz

Zwiebelkuchen mit Speck

Für den Teig das Mehl in eine Schüssel sieben, in die Mitte eine Mulde drücken und die Hefe hineinbröckeln. Den Zucker und 100 ml lauwarme Milch dazugeben und den Vorteig mit Mehl bestäubt ca. 10 Minuten gehen lassen. Die restliche Milch, das Ei, 1 TL Salz und die Butter hinzufügen und alles zu einem geschmeidigen Teig verarbeiten. Abgedeckt an einem warmen Ort ca. 45 Minuten gehen lassen.

Für den Belag die Zwiebeln abziehen, in feine Ringe schneiden und mit dem Speck im Öl knusprig braten. Abkühlen lassen und mit der sauren Sahne und den Eiern verrühren und mit Salz und Pfeffer würzen. Den Backofen auf 180 °C vorheizen und den ausgerollten Teig auf ein eingefettetes Backblech legen. Den Teig mit einer Gabel mehrmals einstechen. Den Belag auf dem Teig verstreichen und auf der mittleren Schiebeleiste im Backofen ca. 45 Minuten goldbraun backen.

Wental

Das reizvolle Trockental auf der Hochfläche der Ostalb wurde vor einigen Millionen Jahren durch einen Fluss geformt, dessen Wasser im zerklüfteten Kalkgestein versickert ist. Charakteristisch für das Wental sind die zahlreichen freistehenden Dolomitkalkfelsen mit solch fantasievollen Namen wie Sphinx, Nilpferd oder Wentalweible.

Dialekt

Bettsoicherla = Löwenzahn

Bausparkasse Schwäbisch Hall

Der Fuchs als Markenzeichen für die Bausparkasse Schwäbisch Hall wurde 1975 ins Leben gerufen. Den Werbeslogan „Auf diese Steine können Sie bauen", der in den Medien immer wieder auftaucht, gibt es schon seit 1962.

Schloss Hohentübingen

Hoch über Tübingens Innenstadt thront das Schloss Hohentübingen. In den Innenräumen des Schlosses bewahrt die Universität Tübingen einige historisch wertvolle Exponate auf. Ein besonderes Highlight ist das Vogelherdpferdchen aus dem Lonetal, das mit 35 000 Jahren zu den ältesten Kunstwerken der Welt gehört.

Brezga

Nach einer Legende wurden die schwäbischen Brezga (Brezeln) von einem Bäcker aus Bad Urach am Fuße der Schwäbischen Alb erfunden. Dieser war von seinem Landesherrn zum Tode verurteilt worden. Aufgrund seiner guten Dienste erhielt er jedoch eine letzte Chance, um sein Leben zu retten. Der Landesherr trug dem Bäcker auf, einen Kuchen zu backen, durch den die Sonne dreimal scheint. So soll die Form der Brezel entstanden sein.

Interessant!

Im Kloster Zwiefalten wurde 1812 die königlich württembergische Heilanstalt eingerichtet. Heute befindet sich hier ein Zentrum für Psychiatrie.

Silberdistel

Das botanische Wahrzeichen der Schwäbischen Alb ist die Silberdistel. Diese unter Naturschutz stehende Pflanze findet auf den Kalkböden der Alb günstige Wachstumsbedingungen.

Astronomische Uhr in Ulm

Sie ist ein Meisterwerk der mittelalterlichen Uhrmacher-
kunst: die astronomische Uhr am Ulmer Rathaus, ein Werk
des Großuhrmachers Isaak Habrecht von 1581. Sie zeichnet
sich durch den beeindruckenden und prächtigen Tierkreis-
ring und die kunstvolle Gestaltung von Zeiger und Zifferblatt aus. Auf der Uhr sind mindestens 15 verschiedene
astronomische Daten und Ereignisse abzulesen.

Kuchen- und Brunnenfest der Salzsieder in Schwäbisch Hall

Die Salzsieder produzierten über Jahrhunderte „das weiße Gold des Mittelalters". Durch den Handel mit Salz wurde Schwäbisch Hall immer wohlhabender. Die schwere Arbeit des Salzabbaus wurde seit dem 14. Jahrhundert mit einem Fest belohnt. Noch heute wird das Kuchen- und Brunnenfest auf traditionelle Weise gefeiert. Bei einem Besuch des schönen Heimatfestes erwartet Sie eine bunte Mischung aus mittelalterlichem Brauchtum und viel Musik.

Träubleskuchen

Für 12 Stücke:

- **250 g** Weizenmehl
- **1 TL** Backpulver
- **2** Eier
- **125 g** weiche Butter
- **200 g** Zucker
- abgeriebene Schale von
  ½ Zitrone, unbehandelt

- **500 g** rote Johannisbeeren
- **1 EL** Speisestärke
- **1 EL** Semmelbrösel
- Fett für die Form

Träubleskuchen

Mehl und Backpulver in eine Schüssel sieben. Die Eier trennen. Eigelb, Butter, 100 g Zucker und Zitronenschale mit dem Mehl zu einem geschmeidigen Mürbeteig verkneten. Den Teig in Frischhaltefolie wickeln und 30 Minuten im Kühlschrank ruhen lassen. Den Backofen auf 180 °C vorheizen. Den Teig auf einer bemehlten Arbeitsfläche ausrollen und eine eingefettete Springform (Ø 26 cm) damit auslegen. Den Kuchenboden im Backofen auf der mittleren Schiebeleiste ca. 25 Minuten goldgelb backen. Die Johannisbeeren waschen, abtropfen lassen und mit einer Gabel von den Stielen streifen. Das Eiweiß steif schlagen, Speisestärke und den restlichen Zucker einrieseln lassen und weitere 3 Minuten schlagen. Die Beeren unter die Eiweißmasse heben. Die Semmelbrösel auf den Kuchenboden streuen und die Beeren-Eiweißmasse gleichmäßig darauf verteilen. Die Temperatur des Backofens auf 160 °C reduzieren und den Kuchen weitere ca. 30 Minuten backen, bis er leicht angebräunt ist.

Burg Wildenstein auf der Schwäbischen Alb

Burg Wildenstein steht auf einem Felssporn und ist nur über Brücken zu erreichen. Entstanden ist die Burg vermutlich im 13. Jahrhundert. Ein Umbau im 16. Jahrhundert gab der Festungsanlage die Gestalt, die bis heute erhalten geblieben ist. Im Innenbereich ist die Burg kunstvoll verziert. Besonders interessant sind die Wandmalereien mit einem vollständigen Bilderzyklus der Sigenotsage. Burg Wildenstein wird heute als Jugendherberge genutzt.

Porsche-Zentrum in Schwäbisch Gmünd

Ob Porsche Boxster oder Porsche Cayenne – im Porsche-Zentrum in Schwäbisch Gmünd geht garantiert jeder Männertraum in Erfüllung!

Schwäbische Kehrwoche

Die strenge Reinigungsordnung in Mehrparteienhäusern hat eine lange Tradition. Sie beruht auf dem Stuttgarter Stadtrecht aus dem Jahr 1492:

„Damit die Stadt rein erhalten wird, soll jeder seinen Mist alle Wochen hinausführen, (…) jeder seinen Winkel alle vierzehn Tage, doch nur bei Nacht, sauber ausräumen lassen und an der Straße nie einen anlegen. Wer kein eigenes Sprechhaus (WC) hat, muss den Unrath jede Nacht an den Bach tragen."

Schlossplatz mit Neuem Schloss in Stuttgart

Stuttgart sollte zu einem zweiten Versailles werden. Dies war die Idee von Herzog Carl Eugen von Württemberg (1728 – 1793). Er ließ das spätbarocke Neue Schloss mitten in Stuttgart bauen. Es ist eines der letzten großen Stadtschlösser Süddeutschlands und heute der Sitz des Finanzministeriums Baden-Württemberg.

Friedrich Schiller

Es war deutlich zu hören, dass Friedrich Schiller (1759–1805) ein Schwabe war. Sein ausgeprägtes Schwäbeln wurde in anderen Regionen häufig belächelt. In seinem Stück „Die Räuber" baute er viele Dialektaussprüche und Redewendungen ein, was die Zuschauer in Mannheim oder Thüringen nur schwer verstanden. Er konnte seine schwäbischen Wurzeln nicht leugnen und stellte schließlich fest: „Thüringen ist nicht das Land, worin man Schwaben vergessen kann."

Freilichtspiele Schwäbisch Hall

Für jeden Theaterinteressierten sind die Freilichtspiele Schwäbisch Hall ein besonderes Erlebnis. Sie finden seit 1925 auf den 54 Stufen der Freitreppe der Stadtkirche St. Michael statt und sind die zweitältesten Freilichtspiele Deutschlands.

Dialekt

Krommbeere = Kartoffel

Pfitzauf mit Holunder-Birnen-Kompott

Für 4 Personen

Für das Kompott:

- **500 g** Holunderbeeren
- **250 g** Birnen
- **125 ml** Rotwein
- **1** Zimtstange
- **100 g** Zucker
- abgeriebene Schale von
  1 Zitrone, unbehandelt

Für den Pfitzauf:

- **250 g** Weizenmehl
- **500 ml** Milch
- **4** Eier
- **1 Prise** Salz
- **4 EL** Butter
- Puderzucker zum Bestäuben

Pfitzauf mit Holunder-Birnen-Kompott

Die Holunderbeeren von den Dolden streifen, waschen und abtropfen lassen. Die Birnen schälen, vierteln, das Kerngehäuse entfernen und in dünne Scheiben schneiden. Den Rotwein mit 125 ml Wasser, Zimt, Zucker und Zitronenschale vermischen. Kurz aufkochen lassen und die Früchte dazugeben. Bei geringer Hitzezufuhr weich kochen. Für den Pfitzauf den Backofen auf 200 °C vorheizen. Mehl, Milch, Eier und Salz zu einem glatten Teig verrühren. Die Butter schmelzen und die Pfitzauf-Formen damit einfetten. Die restliche Butter unterrühren. Die Formen zur Hälfte mit Teig befüllen und auf der mittleren Schiebeleiste im Backofen ca. 45 Minuten backen. Das Gebäck mit Puderzucker bestäuben und sofort servieren, da es schnell zusammenfallen kann. Mit dem heißen oder abgekühlten Kompott auf Tellern anrichten.

Donau

Die Donau ist eine der ältesten und wichtigsten europäischen Schifffahrtsstraßen. Heute sind neben Güterschiffen auch rund 100 Hotelschiffe auf ihren Gewässern unterwegs, mit denen Kreuzfahrten zwischen Passau, Budapest und dem Schwarzen Meer unternommen werden können.

Holzmarkt in Tübingen

Auf dem Holzmarkt in Tübingen erblüht abends das Leben. Junge Leute und Studenten versammeln sich auf der Vortreppe der Stiftskirche und genießen bei Essen, Trinken und Musik den lauen Sommerabend.

Schloss Höchstädt

Pfalzgraf Philipp Ludwig von Pfalz-Neuburg ließ Schloss Höchstädt zwischen 1589 und 1603 erbauen. Die Räume des Schlosses werden heute für Ausstellungen, der Rittersaal und die Schlosskapelle für Konzerte genutzt.

Bodensee

Der Name des drittgrößten Binnensees Europas geht auf den Ortsnamen „Bodman" zurück. Die Gemeinde am westlichen Ende des Überlinger Seeteils hatte im frühen Mittelalter eine überregionale Bedeutung. Heute ist der Bodensee eine der schönsten Urlaubsregionen mit vielfältigen Angeboten wie Wassersport, Wandern oder Rundfahrten.

Schloss Ellwangen

Geschichte wird lebendig: Auf Schloss Ellwangen findet jährlich ein großes Mittelalterspektakel statt. Hier taucht der Besucher in die Welt des Mittelalters ein und erfährt vieles über das Leben von Kelten, Alemannen und Rittern.

Dialekt

„Des isch de Meis pfiffe!" = Das ist den Mäusen gepfiffen (vergebliche Mühe)

Nonnenfürzle

Für 4 Personen: • **500 g** Mehl • **1 Würfel** Frischhefe • **250 ml** lauwarme Milch • **60 g** Zucker • **4** Eier • **60 g** weiche Butter • abgeriebene Schale von ½ Zitrone, unbehandelt • **1 Prise** Salz • **100 g** Sultaninen • Fett zum Ausbacken • Puderzucker zum Bestäuben

Das Mehl in eine Schüssel sieben, eine Mulde hineindrücken und die Hefe hineinbröckeln. Etwas lauwarme Milch und den Zucker dazugeben und mit wenig Mehl zu einem Vorteig verrühren. Abgedeckt ca. 35 Minuten gehen lassen. Den Vorteig mit der restlichen Milch, den Eiern, der Butter, der Zitronenschale und dem Salz zu einem lockeren Hefeteig verarbeiten und 40 Minuten gehen lassen. Die Sultaninen 10 Minuten in Wasser einweichen, dann abgießen und ausdrücken. Die Sultaninen in den Hefeteig einarbeiten und diesen weitere 10 Minuten gehen lassen. Das Fett erhitzen, mit einem Teelöffel Teigstücke abstechen und im heißen Fett goldbraun ausbacken. Mit Puderzucker bestäubt servieren.

Man muss immer etwas haben,
auf das man sich freut, und das ist
schon eine gescheite Gewohnheit,
sich einen Wunsch vorzunehmen,
auf dessen Erfüllung man spart.

Eduard Mörike (1804 – 1875),
deutscher Lyriker

Mercedes-Benz-Museum in Bad Cannstatt

Für jeden Automobil-Fan ist das Mercedes-Benz-Museum in Bad Cannstatt ein Muss. Auf 9 Ebenen und 16 500 Quadratmetern wird die 125-jährige Geschichte des Automobils präsentiert. Hier erfahren Sie alles über Vergangenheit, Gegenwart und Zukunft der bahnbrechenden Erfindungen von Gottlieb Daimler und Karl Benz.

Steinerne Jungfrauen im Eselsburger Tal

Die Steinernen Jungfrauen sind die bekannteste Felsformation des Eselsburger Tals. Um die zwei schlanken Felsnadeln rankt sich folgende Sage:

Auf der Eselsburg lebte einst ein Burgfräulein, dem, je älter sie wurde, die Freier ausblieben. Deshalb hasste sie alle Männer und verbot ihren beiden Mägden den Umgang mit ihnen. Als sie die beiden mit einem Fischer erwischte, verwandelte die böse Jungfer die Mägde in zwei „Steinerne Jungfrauen".

Wilhelma in Stuttgart

Ein schönes Ausflugsziel für die ganze Familie ist die Wilhelma in Stuttgart. Sie ist der einzige zoologisch-botanische Garten in Deutschland. Zu den besonderen Attraktionen des Zoos gehört der Eisbär „Wilbär", der 2007 geboren wurde.

Hefezopf

Für 1 Zopf:

- **1 kg** Weizenmehl
- **1 Würfel** Frischhefe
- **100 g** Zucker
- **500 ml** lauwarme Milch
- **1 TL** Salz
- **150 g** weiche Butter
- **3** Eier
- abgeriebene Schale von **½** Zitrone, unbehandelt
- **2 EL** Hagelzucker oder Sesam

Hefezopf

Das Mehl in eine Schüssel sieben, eine Mulde hineindrücken und die Hefe hineinbröckeln. 1 EL Zucker und 100 ml lauwarme Milch hineinrühren und den Vorteig mit etwas Mehl bestäuben. Abgedeckt ca. 30 Minuten gehen lassen. Den restlichen Zucker und die restliche Milch, das Salz, die Butter, 2 Eier und die Zitronenschale dazugeben und alles zu einem geschmeidigen Teig verkneten. Abgedeckt ca. 45 Minuten an einem warmen Ort gehen lassen. Den Teig auf einer bemehlten Arbeitsfläche nochmals durchkneten und in 4 Stücke teilen. Die Teigstücke zu gleichmäßigen Rollen formen und daraus einen Zopf flechten. Den Backofen auf 200 °C vorheizen. Ein Backblech mit Backpapier auslegen und den Zopf darauflegen. 1 Ei in einer Schüssel verquirlen und den Zopf damit bestreichen. Mit Hagelzucker oder Sesam bestreuen und im Backofen auf der mittleren Schiebeleiste ca. 45 Minuten backen. Die Temperatur des Backofens nach 20 Minuten auf 180 °C reduzieren.

Bärenhöhle Sonnenbühl

Für kleine und große Entdecker ist die Bärenhöhle in Sonnenbühl genau das Richtige. In dieser Tropfsteinhöhle wurden zahlreiche Skelette von Höhlenbären gefunden. Viele Schädel und Knochen sowie ein restauriertes Bärenskelett können hier besichtigt werden.

Hölderlinturm in Tübingen

Im späten 19. Jahrhundert wurde der Hölderlinturm in Tübingen nach dem Dichter Friedrich Hölderlin benannt, der von 1807 bis zu seinem Tod 1843 dort lebte. Im Inneren des Turms befindet sich das Hölderlin-Museum mit einer Dauerausstellung über den bedeutenden deutschen Lyriker und einer Präsenzbibliothek.

Villa Rustica in Hechingen

Begeben Sie sich auf eine Reise in die Vergangenheit. Im Römischen Freilichtmuseum Hechingen-Stein erfahren Sie alles über das römische Leben auf dem Lande. 1973 entdeckte der Bürgermeister der Gemeinde Stein die ersten Mauern der Villa Rustica. Seit 1992 werden Ausgrabungen durchgeführt, um die römische Siedlung vollständig zu rekonstruieren.

Balinger Zollernschloss

In der spätmittelalterlichen Stadtburg Balinger Zollern-
schloss befindet sich heute das Museum für Waage und
Gewicht. An rund 400 Exponaten wird die technische
Entwicklung der Wägetechnik von der einfachen Balken-
waage aus der Römerzeit bis zur Industriewaage des
20. Jahrhunderts verdeutlicht. Die Sammlung ist einzigartig und wurde von Balinger Waagenhersteller Bizerba
zusammengetragen.

Linden-Museum in Stuttgart

Afrika, Lateinamerika, Nordamerika, Orient, Asien, Ozea-
nien … Auf spannende und unterhaltsame Weise erfahren
Sie im Linden-Museum in Stuttgart alles über die verschie-
denen außereuropäischen Kulturen. In einem der größten
Völkerkundemuseen Europas werden dem Besucher auch
zahlreiche Workshops, Vorträge, Konzerte, Filme und Kin-
derveranstaltungen angeboten.

Interessant!

In Bad Urach waren vor mehreren Millionen Jahren Vulkane aktiv. Im Uracher Vulkangebiet wurden über 350 Ausbruchstellen entdeckt.

Dialekt

„Do kennscht grad uff da Sau fort!" =
Da könnte man gerade auf der Sau fort!
(Es ist zum Verzweifeln!)

Schwäbisches Salz

In Schwäbisch Hall begann die Salzgewinnung wahrscheinlich schon im 11. Jahrhundert. Die Salzgewinnung aus der Solequelle war auch der Grund für die Stadtgründung. Das Wort „Hall" ist keltischen Ursprungs und bedeutet „Salz".

Lern im Leben die Kunst,
im Kunstwerk lerne das Leben!
Siehst du das eine recht,
siehst du das andere auch.

Friedrich Hölderlin (1770–1843),
deutscher Lyriker

Charlottenhöhle bei Hürben

Königin Charlotte von Württemberg war die Namensgeberin der Charlottenhöhle in Hürben. Diese Tropfsteinhöhle wurde 1893 entdeckt und ist mit 587 Metern eine der längsten Schauhöhlen Süddeutschlands. Das Besondere an der Höhle sind der schlauchartige Höhlengang und die geräumigen hohen Hallen.

Schloss Rosenstein in Stuttgart

Giovanni Salucci, ein italienischer Baumeister, erbaute von 1824 bis 1829 Schloss Rosenstein. Der württembergische König Wilhelm I. und seine Frau, die Großfürstin Katharina von Russland, ließen im Schloss ein Museum einrichten. Heute ist das Gebäude der Sitz des staatlichen Naturkundemuseums Stuttgart.

Schiefes Haus in Ulm

Ein Hotel der etwas anderen Art: das Schiefe Haus. Dieses spätgotische Fachwerkhaus ist eine besondere Sehenswürdigkeit in Ulm. Das Haus hat bis heute eine Neigung von 9 bis 10 Grad. Der Höhenunterschied in den Zimmern beträgt bis zu 40 cm.

Kuckucksuhr

Traditionell wird die Kuckucksuhr noch heute im Schwarzwald angefertigt. Ihre typischen Merkmale sind das Pendelwerk mit Kettenzug, die geschnitzten Holzornamente, das Zifferblatt mit römischen Ziffern, der Kuckucksruf und natürlich der Kuckuck aus Holz.

Bud-Spencer-Bad
in Schwäbisch Gmünd

In den 50er-Jahren war Bud Spencer ein Weltklasse-Schwimmer. Im Jahr 1951 ging er in einem Länderkampf zwischen Italien und Deutschland in Schwäbisch Gmünd ins Becken. Zu seinen Ehren wurde das ortsansässige Freibad 2011 nach ihm benannt.

Dialekt

„Ahmehnahschlupferle" =
anschmiegsamer Mensch

Schwäbischer Schluckauf

Auf Schwäbisch heißt der Schluckauf „Hägger". Die Schwaben haben ein eigenes Hausmittel erfunden, um den lästigen Schluckauf loszuwerden. Der Betroffene muss einen kurzen Reim aufsagen:

Hägger, Hägger
Gang über de Nägger
Gang über de Rhei
Fall mitte drin nei.

Fossilienlagerstätte Holzmaden

Zwischen Stuttgart und Ulm befindet sich die weltberühmte Fossilienlagerstätte Holzmaden. Hier gibt es über 180 Millionen Jahre alte Fossilienfunde zu sehen: Muscheln, Meereskrokodile, Ammoniten, Fische, Seelilien …

Albert Einstein

Der theoretische Physiker und Nobelpreisträger Albert Einstein (1879–1955) wurde in Ulm geboren. Seine Forschungen zur Struktur von Raum und Zeit veränderten maßgeblich das physikalische Weltbild. Im Jahr 1999 wurde er von 100 führenden Physikern zum größten Physiker aller Zeiten gewählt.

Stiftskirche in Stuttgart

In der Stiftskirche in Stuttgart findet jedes Jahr im Juli und August der „Internationale Orgelsommer" statt. Bedeutende Organisten aus aller Welt spielen hier Meisterwerke aus sämtlichen Epochen der Musikgeschichte.

Schwäbische Sparsamkeit

Keine andere schwäbische Eigenart wird so häufig besprochen, belächelt und verspottet wie die schwäbische Sparsamkeit. Die Schwaben selbst sind natürlich der Meinung, dass diese Behauptung maßlos übertrieben ist.

Zweiradmuseum in Neckarsulm

Wenn Sie sich für Zweiräder interessieren, müssen Sie auf jeden Fall das Zweiradmuseum in Neckarsulm besuchen. Die umfangreiche Sammlung präsentiert Exponate aus den Anfängen des Fahrrads über historische Motorräder bis hin zu modernen Rennmaschinen.

Ofenschlupfer mit Rieslingschaum

Für 4 Personen

- **80 g** Rosinen
- **2 cl** Rum
- ca. **100 g** altbackene Brioche (bzw. Hefezopf oder Brötchen)
- **1** Apfel
- **1–2 EL** Zitronensaft
- **6 EL** gehackte Mandeln und Haselnüsse
- **2** Eier
- ca. **200 ml** Milch
- **2 EL** Vanillezucker
- **2 EL** Zucker

Für den Riesling-schaum:

- **2** Eigelb
- **60 g** Zucker
- **250 ml** Riesling

Außerdem:

- **200 g** helle Trauben
- Butter für die Form

Ofenschlupfer mit Rieslingschaum

Den Backofen auf 200 °C vorheizen. Eine Kastenform mit Butter einfetten. Die Rosinen in den Rum einweichen. Die Brioche grob zerschneiden. Den Apfel waschen, entkernen und reiben. Mit dem Zitronensaft beträufeln, dann zusammen mit den Briochestückchen, den Rosinen und 4 EL der Nüsse in die Kastenform schichten. Die Eier mit der Milch, dem Vanillezucker und dem Zucker verrühren und über die Brioche-Mischung gießen. Im Backofen ca. 40 Minuten goldbraun backen. Aus der Form stürzen und etwas abkühlen lassen. Die Eigelbe mit dem Zucker und dem Weißwein im heißen Wasserbad weißschaumig schlagen. Die Trauben waschen, halbieren und entkernen. Den Ofenschlupfer in Scheiben schneiden, mit den Traubenhälften garnieren, mit den restlichen Nüssen bestreuen und mit dem Rieslingschaum beträufelt servieren.

Abtei Neresheim auf der Schwäbischen Alb

Die Kirche der Benediktinerabtei Neresheim im Ostalbkreis ist ein Werk des bekannten Barock-Baumeisters Balthasar Neumann (1687–1753). Ein Entwurf dieser Kirche war auf dem 50-DM-Schein von 1991 bis 2002 abgebildet.

Wurmlinger Kapelle

Ludwig Uhland schrieb im September 1805 nach einem Spaziergang von Tübingen nach Wurmlingen folgendes Gedicht.

Die Kapelle

Droben stehet die Kapelle,
schauet still ins Tal hinab,
drunten singt bei Wies' und
    Quelle
froh und hell der Hirtenknab.

Traurig tönt das Glöcklein nieder,
schauerlich der Leichenchor;
stille sind die frohen Lieder,
und der Knabe lauscht empor.

Droben bringt man sie zu Gabe,
die sich freuten in dem Tal;
Hirtenknabe, Hirtenknabe,
dir auch singt man dort einmal.

Rezeptregister

©2013 design cat GmbH

Genehmigte Lizenzausgabe
tosa GmbH
Fränkisch-Crumbach 2015
www.tosa-verlag.de

Idee und Projektleitung: Sonja Sammüller
Layout, Satz und Umschlaggestaltung:
design cat GmbH

ISBN 978-3-86313-250-7

Bildnachweis:

picture-alliance: StockFood/Albrecht, Dirk 149; StockFood/BBS 233; StockFood/ Bender, Uwe 167; StockFood/Bischof, Harry 93; StockFood/Bonisolli, Barbara 61; StockFood/Eising Studio - Food Photo & Video 35, 53, 69, 137, 189; StockFood/Feiler Fotodesign 43; StockFood/FoodFoto Köln 279; StockFood/Kirchherr, Jo 129; StockFood/Newedel, Karl 207; StockFood/ Stella 7; StockFood/Studio Schiermann 223; StockFood/Teubner Foodfoto GmbH 19; StockFood/Volk, Fridhelm 79, 103, 123

picture-alliance: akg/akg-images 99, 224, 252, 270; Arco Images GmbH/ Dieterich, W. 76, 109; Arco Images GmbH/Franke, C. 33; Arco Images GmbH/Geduldig 106; Arco Images GmbH/Schmerbeck, M. 116, 164; Bibliographisches Institut/Prof. Dr. H. Wilhelmy/H. Wilhelmy 170, 213, 240–241; Bildagentur Huber/Bildagentur Huber/Alfeld 51, 243; Bildagentur Huber/Bildagentur Huber/R. Schmid 13, 14, 44, 64, 115, 246–247, 256–257, 259; Bildagentur Huber/Bildagentur Huber / Schmid Reinhard 17, 38–39, 58, 95, 100, 110, 192, 226–227, 229, 236, 244, 268–269; Bildagentur Huber/ Bildagentur Huber / Huber Hans-Peter 144–145; Bildagentur-online 30; chromorange/CHROMORANGE / P. Widmann 158, 184; chromorange/ Reinhold Tscherwitschke / CHROMORANGE 178; D.Harms/WILDLIFE/ WILDLIFE/D.Harms 84; dpa/Jan-Philipp Strobel 230–231; dpa/Karl-Josef Hildenbrand 214; dpa/Franziska Kraufmann 162–163, 202, 263; dpa/Harry Melchert 174, 255, 277, 285; dpa/Marijan Murat 155, 177; dpa/Patrick Seeger 26–27, 260; dpa/Ronald Wittek 187; dpa/Stefan Puchner 83; dpa/Tobias Kleinschmidt 140; dpa/Uli Deck 63; dpa-Zentralbild/Jan-Peter Kasper 75; dpa-Zentralbild/euroluftbild.de/euroluftbild.de/Gerhard Launer 156–157; GES/Tobias Kuberski/Tobias Kuberski 72; info@helga-lade.de/JOF 56, 124; Kunsthalle_weishaupt/rm 86–87; Manfred Segerer/Manfred Segerer 195; Okapia/Oswald Eckstein 70; P2640_dpa/Harry Melchert 127; picture alliance 20, 119; picture alliance/Rainer Kiedrowski 152; picture alliance/Reinhard Schmid 10, 23, 29, 112–113, Cover front, 132, 161, 180–181, 273, 282–283; Picture Alliance/Hajo Dietz 210; Robert Harding World Imagery/Hans-Peter Merten 89; Robert Harding World Imagery/Yadid Levy 198–199, 201; Sueddeutsche Zeitung Photo/Filser, Wolfgang 143; WILDLIFE/WILDLIFE/D. Harms 135

shutterstock: a9photo 209/Aliaksei Lasevich 146/Apostolos Mastoris 24/ BHamms 55/clearlens 37, 219/CreativeNature.nl 220/Elnur 274/Horten 196/ Fesus Robert 96–97/Hallgerd 131/Iakov Filimonov 105/Igor Borodin 120/ Ingrid Balabanova 9/isarescheewin 251/Julie Turner 264/kontur-vid 5/ kzww 139/LIAUCHUK PAVEL 78/marco mayer 81/Marie Nimrichterova 5/ Marysckin 281/Menna 183/Micha Klootwijk 48/Nitr 169/Nowik Sylwia 148/ ollyy 67, 90/Ozerov Alexander 172/Patrick Poendl 47, 239/PhotographyByMK 40/Piotr Marcinski 267/Pushkin 5/SeDmi 157/Subbotina Anna 235/Tom Christian 216/Tribalium 102/Valentina_G 191/Wiktory 205/Yuri Arcurs 248